Dessine-moi la paix

La guerre vue par les enfants
de l'ex-Yougoslavie

Préfaces de Barbara Hendricks et Bernard Kouchner
Introduction de James P. Grant, directeur général de l'UNICEF

Chêne

Moj Vukovar!
Mon Vukovar !
Marija, 13 ans
déplacée de Vukovar

Dessine-moi la paix

Il y a plus d'un an, Aleksandar, âgé de 14 ans, était étendu sur un lit d'hôpital à Sarajevo, où il se remettait de graves brûlures causées par l'explosion d'un cocktail Molotov. Traumatisé et affaibli par la souffrance, il a murmuré : « Quand je ferme les yeux, je rêve de la paix. »

Le rêve d'Aleksandar est le rêve de milliers d'enfants bosniaques, croates et serbes, quel que soit l'endroit où ils vivent. Leur espoir de paix survit malgré la mort et la destruction qui continuent à briser leur vie quotidienne. Ce livre est un hommage à cette espérance, et une arme de paix pour que les lecteurs – dirigeants et professeurs, parents et enfants, amoureux et artisans de la paix – s'exclament tous : ça suffit !

Les dessins et les textes de cet ouvrage ont été recueillis par l'UNICEF dans les écoles et les camps de réfugiés de tous bords. Ils s'inscrivent dans le programme d'urgence déclenché par l'UNICEF, pour répondre aux troubles psychologiques des enfants contraints de vivre en pleine guerre.

Dessine-moi la paix est un parcours dans le cœur et l'esprit de ces enfants, dont le monde sécurisant a été renversé par la haine ethnique, la violence et les brutalités de la guerre. Le premier chapitre, « Guerre cruelle », dévoile l'immensité des ravages causés dans leur environnement. « Le jour où ils ont tué ma maison » montre l'intrusion de la guerre dans les foyers, l'abandon d'une vie normale et le repli dans les hôpitaux, les camps de détention ou l'exil. « Mon cauchemar » laisse apparaître les angoisses que les enfants ont été forcés d'intérioriser. Le voyage du lecteur se termine par le retour au rêve de paix d'Aleksandar. L'incroyable énergie des enfants et leur inlassable amour de la vie y éclatent de façon saisissante.

Cher lecteur, ce livre n'est pas seulement un témoignage de leur souffrance, mais une protestation retentissante contre la violation du droit fondamental des enfants à ne pas être exposés aux tourments de la guerre, où qu'ils vivent et quels qu'ils soient. Leur message ne doit pas tomber dans l'oubli.

C'est un cri qui doit nous pousser à faire tout ce qui est en notre pouvoir pour que les générations futures n'aient plus jamais à sacrifier l'innocence pure de l'enfance à la démence et à la folie des adultes.

Barbara Hendricks

Dinko, Zlata et les autres

On s'habitue à tout et d'abord aux malheurs des autres. On en fait des gouaches, des livres et des recueils d'admirables dessins d'enfants, comme celui-ci. C'est mieux que rien. Les enfants du monde meurtris, du monde des adultes, s'ils souffrent de leurs blessures, meurent aussi de nos silences.

Les filles de Sarajevo, de Mostar, de Tuzla, de Srebrenica n'ont pas su, au début, pourquoi le fils de leurs voisins devenait un ennemi. Il y a quelques semaines encore, Vesna jouait avec Dinko sous les fenêtres ébréchées des restes de l'école. Pour elle, le conflit a vraiment commencé lorsque ses parents lui ont interdit de rencontrer son ami. Dinko, le musulman, alors prit l'habitude de s'amuser seul dans la rue de la vieille ville, devant la maison de son amie Vesna, la catholique. Il la guettait en permanence et Vesna le regardait en cachette de ses parents. Dinko est mort le visage tourné vers la façade de Vesna. La roquette était partie de la colline, vers la rue où habitait son oncle, une rue que Dinko connaissait bien. Vesna a beaucoup pleuré. Elle parle de Dinko en permanence. Elle dit à ses médecins que le jeu dans cette ville ne ressemble pas aux jeux de la télévision. Les enfants aiment la télévision des adultes. Ils adorent jouer à la guerre, pour rire. Mais, au début ils détestent les massacres qu'inventent, pour de vrai, les adultes. Et puis ils deviennent grands et ils s'habituent.

Est-ce qu'on ne peut vraiment pas changer cette sinistre habitude de l'histoire ? Ne peut-on pas intervenir pour empêcher les guerres ? L'ingérence de la paix, à qui fait-elle peur ? Ce sont toujours les enfants qui meurent.

Ce sont toujours les adultes qui les tuent.

On s'habitue à tout et d'abord aux malheurs des autres. Voilà des mois maintenant qu'avec méthode la guerre ravage la Yougoslavie, tuant, pillant, violant, jetant sur les routes enfants, femmes et vieillards, détruisant au cœur de l'Europe, sur la fracture des Balkans entre l'orthodoxie et l'Islam, une société qui nous ressemblait. On s'y est fait. On s'est lassé des images, soir après soir au journal télévisé de 20 heures. Désabusé après les lamentations et les invectives, on s'est détourné de la haine qui brouille les regards et les analyses, on s'est lassé de tous ces combats. Toutes ces négociations, ces plans de paix tronqués ou avortés, avouons-le, on ne s'y intéresse plus.

Et puis par hasard, surgit un visage, retentit une voix, survient un regard qui crèvent l'indifférence et vous touchent au cœur, tranquillement, sans les mots du reproche, juste le visage, la voix, le regard d'une enfant, d'une petite fille de 13 ans qui s'appelle Zlata. Vous l'avez peut-être vue l'autre soir à la télévision, Zlata, je le souhaite, car alors comme moi, vous n'allez pas l'oublier. Pourquoi, écrit Zlata dans son journal intime, les hommes peuvent-ils être si bons et si horriblement mauvais comme ceux des collines proches, qui tirent sur Sarajevo ? Ils se ressemblent pourtant, les hommes qui s'assassinent. Zlata ne peut comprendre cette sinistre lâcheté de la politique européenne, puisque c'est à cause de ça, dit-elle, qu'on meurt de faim, qu'on souffre, qu'on ne peut pas profiter de notre enfance, enfin à cause de ça qu'on pleure.

Zlata nous regarde en face, ses yeux brillent.

Bernard Kouchner

Introduction

Autrefois, la guerre se faisait entre soldats et sur un champ de bataille. Mais aujourd'hui, comme jamais dans l'Histoire, villes et villages sont les champs de bataille et les enfants les victimes. La tendance à faire des enfants la cible des atrocités constitue une régression du comportement humain.

Dans l'ex-Yougoslavie, c'est devenu une stratégie de guerre. Au cours de mes différentes visites, j'ai pu constater l'impact de ce conflit sur la jeunesse. La guerre est un univers d'obscurité dans lequel les enfants traquent la nourriture, esquivant les tirs des mortiers et ceux des tireurs isolés. C'est un lieu où le meilleur ami peut devenir en une nuit le pire des ennemis.

Lorsqu'à Sarajevo, le jeune Aleksandar, gravement brûlé lors d'une explosion, s'exclame : « Quand je ferme les yeux, je rêve de la paix », il exprime le fervent espoir de tous les enfants de l'ex-Yougoslavie. Cet ouvrage est un hommage au rêve d'Aleksandar.

Dessine-moi la paix est un témoignage des horreurs qu'Aleksandar et d'autres enfants endurent mais aussi de l'extraordinaire espoir qui brûle si ardemment dans leur cœur. C'est également le cri véhément d'enfants dont le droit à une existence normale a été bafoué et dont les appels à la paix n'ont pas, jusqu'ici, été entendus. Leurs dessins et leurs textes sont un rappel silencieux des atrocités innommables qui affectent leur vie quotidienne.

Dans ces pages, les enfants délivrent un message sérieux aux adultes : « Comprenez la cruauté de cette guerre et ce qu'elle nous fait, à nous vos enfants ! Faites ce qu'il faut pour qu'elle cesse !

Tenez compte de notre regard d'enfant sur les promesses et les possibilités de paix ! »

Les quatre premiers chapitres de ce livre résument la façon dont la thérapie par l'art et l'assistance socio-psychologique ont aidé les enfants de l'ex-Yougoslavie à guérir de certains traumatismes de guerre. Dans les trois premiers chapitres, les enfants, à travers leur art, leurs poèmes et leurs lettres confrontent et partagent leurs expériences de la guerre en laissant s'exprimer leurs angoisses. Le dernier chapitre est une mosaïque de messages et de dessins, exprimant leur espoir et leur désir de paix et d'amitié.

Le dessin de Zvonimir intitulé *La Guerre* dépeint la destruction des villages et nous demande de saisir la cruauté d'une telle action. Dans le dessin de monstre de Mario, intitulé *La Peur*, nous voyons comment le traumatisme quotidien de la guerre se transforme en cauchemar d'enfant. Dans son poème, Roberto, âgé de dix ans, demande aux adultes de se joindre à lui pour créer un monde dans lequel « les tanks seraient des terrains de jeux pour enfants [et où] tous les enfants du monde dormiraient en paix, sans alertes et sans tirs ».

Ces dessins et poèmes rappellent la pièce d'Aristophane, *Lysistrata*, dans laquelle les femmes se lèvent d'un seul mouvement et réclament la paix. Maintenant, c'est au tour des enfants, et *Dessine-moi la paix* est leur appel à l'action.

Le conflit entre dans sa troisième année et l'étendue de l'horreur reste choquante. Selon le tribunal international des crimes de guerre, institué pour enquêter sur les violations des droits de l'homme perpétrées dans l'ex-Yougoslavie, femmes, enfants et personnes âgées ont été désignés pour subir le traitement le plus brutal, dans le cadre de la purification ethnique. Jusqu'à ce jour, la guerre a engendré plus de quatre millions de réfugiés, dont plus de 600 000 enfants. On estime à 15 000 le nombre d'enfants qui sont morts. Bien plus encore ont été gravement blessés.

L'esprit chancelle à l'idée que n'importe qui peut délibérément prendre un enfant pour cible. Que tuer, mutiler et brutaliser psychologiquement de jeunes enfants soit encore toléré dans l'ex-Yougoslavie est tout simplement inconcevable. C'est une question particulièrement épineuse pour la communauté internationale. Au mois de septembre 1990, les chefs de gouvernement se sont réunis au siège des Nations Unies à New York, pour participer au premier sommet mondial en faveur de l'enfance. Là, ils ont signé une déclaration portant sur la survie, la protection et le développement des enfants, qui les a engagés dans des programmes d'action concrets. La Convention des droits de l'enfant, codifiant les mesures immédiates à prendre en faveur des enfants, prit effet au même moment.

Pourtant, ces « droits de l'enfant » sont une cruelle plaisanterie pour ceux qui ont vu leur maison détruite et leurs proches tués ou mutilés. Pour les enfants qui vivent un conflit si complexe, les sentiments d'angoisse, de peur et de culpabilité deviennent accablants. Le résultat, c'est que l'incidence de la détresse psychologique – connue aussi sous le nom de troubles nerveux post-traumatiques (PTSD) – monte en flèche. L'UNICEF, qui travaille sur tous les fronts du conflit

en coordination avec les Nations Unies et les organisations humanitaires, a répondu à cette crise en formant sur place professionnels et volontaires, afin de définir les symptômes de la PTSD, d'en identifier les victimes et d'offrir une psychothérapie de groupe et individuelle. En outre, l'UNICEF s'efforce d'apprendre aux parents et au public à prévenir les troubles psychologiques.

Le traumatisme peut durer des semaines, des mois, voire des années ; il peut se manifester par des troubles psychosomatiques, par l'anxiété ou la dépression. De graves troubles du comportement sont susceptibles d'apparaître chez les enfants, provoquant l'agressivité, le repli sur soi et des difficultés à se concentrer et à dormir. Nous savons maintenant que les séquelles d'événements traumatisants peuvent se prolonger au-delà d'une vie, en se transmettant de parents à enfants, et en poursuivant ainsi le cycle infernal de la haine.

Ces traumatismes provoqués par la guerre et la violence ne sont pas irréversibles. On peut traiter un traumatisme psychosocial et prévenir les préjudices durables. Le pourcentage de réussite est spécialement encourageant chez les enfants. Psychologiquement plus réceptifs au changement que les adultes, les enfants répondent facilement au traitement. Il est cependant primordial que celui-ci leur soit délivré le plus rapidement possible. L'efficacité est plus grande dans les toutes premières semaines qui suivent un traumatisme, particulièrement si les enfants évoluent dans un environnement affectueux. Pour soulager le traumatisme, il est essentiel d'aider les enfants à manifester leurs émotions, à extérioriser leurs craintes et leurs appréhensions. Les empêcher de partager leurs sentiments et leurs expériences ne peut qu'accroître la douleur émotionnelle et provoquer de graves dérangements ultérieurs.

Les dessins et les textes de cet ouvrage représentent le processus qui mène à la guérison, pour nombre d'enfants de l'ex-Yougoslavie traumatisés par la guerre. Dans de nombreux camps de réfugiés et écoles à travers le territoire, des enfants ont été encouragés à dessiner et à écrire, afin de libérer leurs émotions intimes. Soutenus par des parents, des enseignants, des psychologues et des thérapeutes, les enfants se remémorent non seulement les événements traumatisants mais aussi les souvenirs heureux du passé. Ils formulent également des rêves optimistes pour le futur.

L'UNICEF, de plus en plus préoccupée par la santé mentale des enfants en temps de guerre, soutient cette entreprise, qui rejoint dans l'urgence notre vocation première : assurer à tous nourriture, refuge, eau potable, assistance sanitaire et prévention contre la maladie. Déjà l'UNICEF a porté secours aux enfants du Cambodge, du Salvador, du Liban, du Libéria, du Mozambique, du Soudan et d'autre pays encore. Des traitements thérapeutiques simples ont été imaginés et enseignés aux professionnels et aux volontaires de chacun de ces pays. Ils ont prouvé leur efficacité à sauver un très grand nombre d'enfants atteints de la PTSD.

Peu à peu, ces méthodes ont été systématisées et uniformisées. Ainsi, lors de la guerre du Golfe, un effort commun a été fait pour recueillir des informations sur l'incidence de la PTSD au Koweït et en Irak, pour identifier les cas les plus inquiétants et mettre en place une aide collective pour répondre aux besoins à long terme des victimes de la PTSD. L'UNICEF prend également part aux initiatives visant à établir une paix durable, comme les programmes du Mozambique et du Liban. Notre dessein est de soutenir le changement des valeurs et de construire entre les enfants une foi réciproque en la compréhension et la tolérance, afin qu'ils se retrouvent, s'embrassent les uns les autres, tels des frères et sœurs.

Cependant, dans l'ex-Yougoslavie, la paix n'est encore qu'un lointain rêve. Cet ouvrage est le cri de ralliement des enfants – une invitation pour nous tous à prendre conscience de leur condition. Je vous conjure de le lire page après page. Imaginez ce que sont ces enfants. Partagez leur crainte, leur douleur et leur espoir. Joignez-vous ensuite à leur quête en utilisant ce livre pour promouvoir la paix. Tentons d'établir des zones de paix – des oasis libérées du conflit, où les enfants seront protégés de la guerre. Efforçons-nous de rallier politiques et dirigeants pour fonder une paix durable dans la région. Essayons de faire tout ce qui est en notre pouvoir pour mettre un terme à l'horreur et pour permettre aux enfants de réaliser leurs rêves de paix.

James P. Grant
Directeur général de l'UNICEF
Décembre 1993

Je m'adresse à toi, toi qu'ils ont chassé de la cour
de récréation et de la rue, de la maison où tu vivais
et de ta chambre d'enfant.

De même que tu souffres, je souffre, et mes nuits aussi ne
sont qu'insomnies. Je te le jure, je ne joue plus au football
comme avant, je ne chante plus comme je le faisais.
J'ai enfermé à clef ma bicyclette, et j'ai fermé mon sourire.
J'ai aussi enfermé à clef mes jeux et mes enfantillages.

L'attente sera-t-elle longue ? Je ne veux pas vieillir alors
que je ne suis encore qu'un enfant, et j'ai peur pour toi
qu'à force d'attendre, on oublie ta contrée natale.
C'est pourquoi, mon ami, je t'invite chez moi.
Nous partagerons la mer et la beauté d'un soir d'été.
Le chant des oiseaux nous enchantera et nous ferons
nos devoirs ensemble.

Nemanja, 11 ans, de Sutomore

Ptica mira
Colombe de la paix
Marica, 11 ans
de Sunja

Guerre cruelle

Rat
La guerre
Robert, 14 ans
réfugié de Foca

Wiiiiiiuuuu   Wiiiiiuuuu

VATROGASNI DOM

13

Une grenade est tombée sur notre abri. Nous avons dû
franchir les corps inanimés. Pendant ce temps,
les tireurs isolés continuaient à nous tirer dessus.

Mon père a été blessé et transporté à l'hôpital.
Depuis ce jour, nous ne l'avons plus revu,
mais j'espère qu'il est toujours en vie, peut-être
dans un de ces camps de prisonniers ?

J'essaie de ne pas parler de toutes ces choses,
mais tout cela m'angoisse et je continue à faire
des cauchemars sur ce qui s'est passé.

Kazimir, 13 ans, déplacé

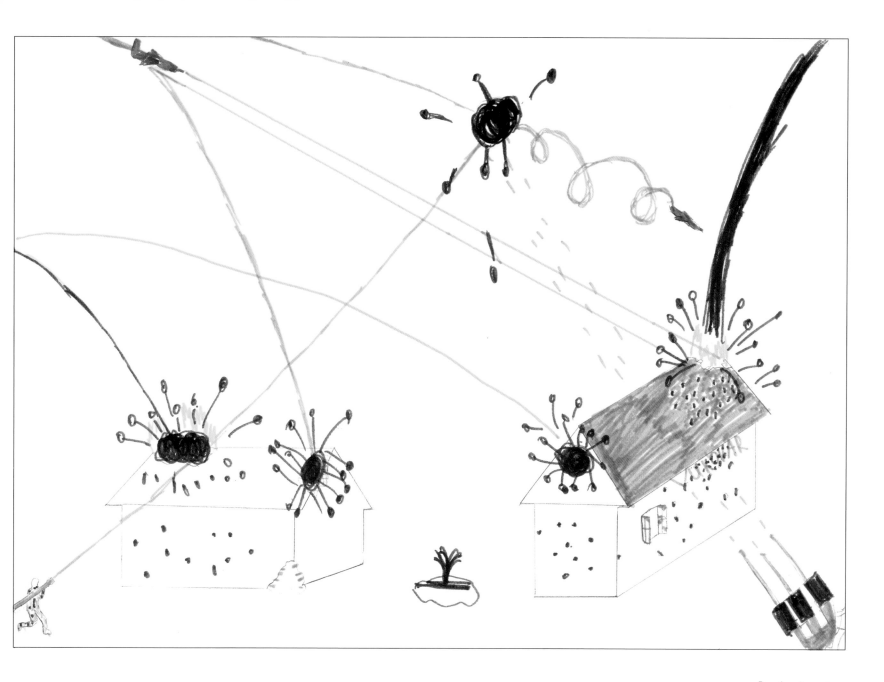

Bombardovanje
Bombardement
Mario, 10 ans
de Stari Mikanovci

Bitka
Le combat
Mirko, 11 ans
déplacé de Tenja,
près de Vukovar

Rat
La guerre
Zvonimir, 12 ans
de Pozega

Je ne suis pas une réfugiée, mais je comprends la peur
et la souffrance des enfants.

Mon père est Croate, ma mère est Serbe, mais moi
je ne sais pas qui je suis.

Mes frères, mes sœurs, mes grands-parents, mes tantes
et mes oncles sont tous en Croatie. Je ne les ai pas vu
depuis le début de cette horrible guerre.

Cela fait plus d'un an que je n'ai plus entendu le son
de leurs voix. Et le seul lien entre nous ce sont les lettres,
des lettres, rien que des lettres...

Lepa, 11 ans, de Belgrade

Uspomene
Souvenirs
Tihomir, 12 ans
réfugié de Buna,
près de Mostar

PAD CERIĆA

Pad Cerića
La chute de Ceric
Mario, 11 ans
déplacé de Ceric

Tata, ne idi u rat
Papa, ne pars pas à la guer[...]
Ratko, 14 ans
déplacé de Lipik

Si seulement vous saviez ce que cela fait d'avoir un père
à la guerre. On fuit la misère, mais la misère suit.
On n'entend plus un mot sur son père, et un jour tout
s'efface et il y a Papa à la porte. Il reste quelques jours
et puis le bonheur s'en va à nouveau.

Mon cœur, il bat fort comme une petite horloge.
J'arrive à peine à écrire ceci parce que, encore une fois,
mon père chéri n'est pas ici avec moi.

Zana, 12 ans, réfugiée de Brcko

САМО ДА РАТА
НЕ БУДЕ

Arrêtez la guerre et le combat
pour un sourire sur un visage d'enfant.
Arrêtez les avions et les obus
pour un sourire sur un visage d'enfant.

Arrêtez les véhicules militaires
pour un sourire sur un visage d'enfant.
Arrêtez tout ce qui tue et détruit
pour un sourire de bonheur sur un visage d'enfant.

Ivana, 11 ans, de Cepin

Samo da rata ne bude
Si seulement il n'y avait pas la guerre
Danilo, 11 ans
de Sabac

Tout est si étrange ! Soudain, cela devient si important,
tout le monde te demande qui tu es, ce que tu fais,
d'où tu viens.

Tant d'hommes sont morts pour la justice. Mais quelle
justice ? Savent-ils encore pour quoi ils se battent,
pour qui ils se battent ?

Il commence à faire très froid maintenant. On n'entend
plus le chant des oiseaux, mais seulement la plainte
d'enfants qui pleurent une mère, un père, un frère
ou une sœur disparus.

Nous sommes des enfants sans pays et sans espoir.

Dunja, 14 ans, de Belgrade

Rat
La guerre
Amela, 12 ans
déplacée de
Slavonski Brod

Le jour où ils ont tué ma maison

Mama, čekaj me!
Maman, attends-moi !
Hrvoje, 11 ans
de Zagreb

Nous sommes restés cinq mois chez ma grand-mère.
Il y a eu pas mal de bombardements, de raids et d'alertes
générales. Beaucoup d'immeubles ont été réduits
en cendres, et toutes les maisons ont été touchées
au moins une fois par un obus.

Mak et moi dormions par terre, et maman et papa
sur un canapé. Nous n'avions pas grand-chose à manger,
juste du riz, des spaghettis, et parfois des haricots.
Nous n'avions pas d'autres légumes, juste une tomate
coupée en trois morceaux pour Mak, Deni, et moi...

Nous avons tous maigris sauf Asia. Elle n'a pas droit
à l'aide humanitaire, mais elle mange la nôtre. Pauvre
petite chose, elle ne sort jamais pour se promener, mais
elle est quand même plus heureuse que d'autres chiens
qui ont perdu leurs maîtres.

Lana, 8 ans, de Sarajevo

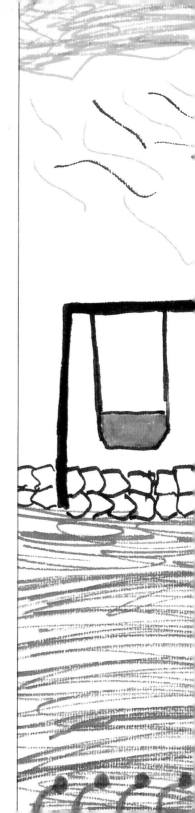

Bez naslova
Sans titre
Matteya, 12 ans
de Moscenica

Ma sœur et moi, nous avons fui Moscenica.
Nous sommes restées à Zargoje avec notre grand-mère.
Elle était tout le temps inquiète et n'arrêtait pas de nous
crier dessus. Jour après jour, nuit après nuit, nous avons
attendu que maman nous rejoigne. Mais elle n'arrivait pas.

Un jour j'étais assise sur les marches du perron
de ma maison quand une voiture bleue est apparue
dans la rue. J'ai vu ma mère dedans. J'ai couru vers elle
et je l'ai embrassée.

Quand elle m'a dit que nous allions rentrer à la maison
à Moscenica, j'étais remplie de bonheur. Mais quand
nous sommes enfin arrivées, beaucoup de maisons
étaient détruites. À les voir, j'avais le cœur serré.

Je n'arrivais pas à croire que la vie pourrait revenir
dans notre ville. Tout le monde penserait la même
chose en voyant toute cette destruction.
Voilà pourquoi cette sale guerre doit s'arrêter.

Jelena, 11 ans, de Moscenica

Progon djece iz Slavonskog Broda
**Enfants contraints de quitter
Slavonski Brod
Stjepan, 12 ans**
déplacé de **Slavonski Brod**

SLAVONIJA TRANS
SLAV. BROD

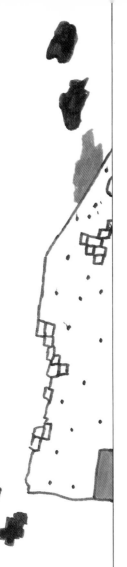

J'avais un nouveau tricycle, rouge et jaune avec une sonnette... Vous pensez qu'ils ont aussi détruit mon tricycle ?

Nedim, 5 ans, réfugié

Razrušene kuće i drveće
Maisons détruites et arbres brûlés
Mario, 10 ans
déplacé de Sotin

Razrušeni grad
Ville dévastée
Ruzica, 13 ans
de Dakovacki Selci

Guerre est le mot le plus triste qui sort de mes lèvres tremblantes. C'est un oiseau méchant qui ne se repose jamais. C'est un oiseau de mort qui détruit nos maisons et nous prive de notre enfance. La guerre est le plus mauvais des oiseaux. Elle remplit les rues de sang et fait du monde un enfer.

Maida, 12 ans, de Skopje

Strava i užas
Horreur et hurlement
Dinko, 12 ans
de Pozega

C'est le pire souvenir dans mon cœur... Je ne souhaite
à personne de le vivre. Les femmes et les enfants sont
emmenés de force au camp de détention. Je ne peux
sortir cette image de ma tête, car je l'ai vécue.

Mario, 13 ans, de Dubrovnik

*Nasilno odvođenje žena i
djece u logor*
**Femmes et enfants
dans un camp de détention
Mario, 13 ans
de Dubrovnik**

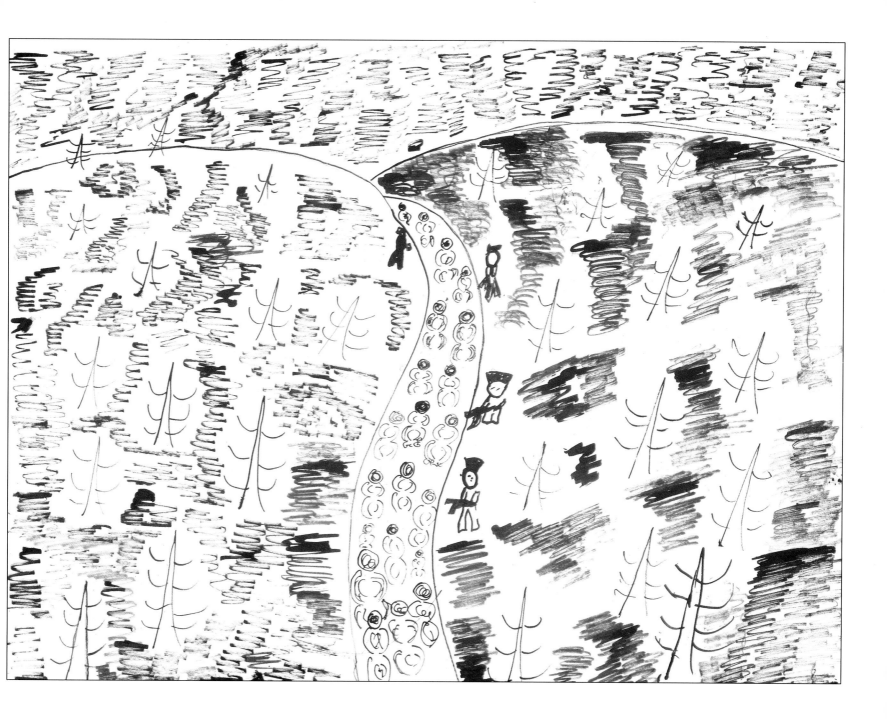

Majka i dijete
Une mère et son enfant
Ankica, 11 ans
de Pozega

U logoru
Dans un camp de détenti
Marinela, 12 ans
de Cepin

Ranjena djeca u bolnici
Enfants blessés à l'hôpital
Suzana, 14 ans
de Donji Miholjac

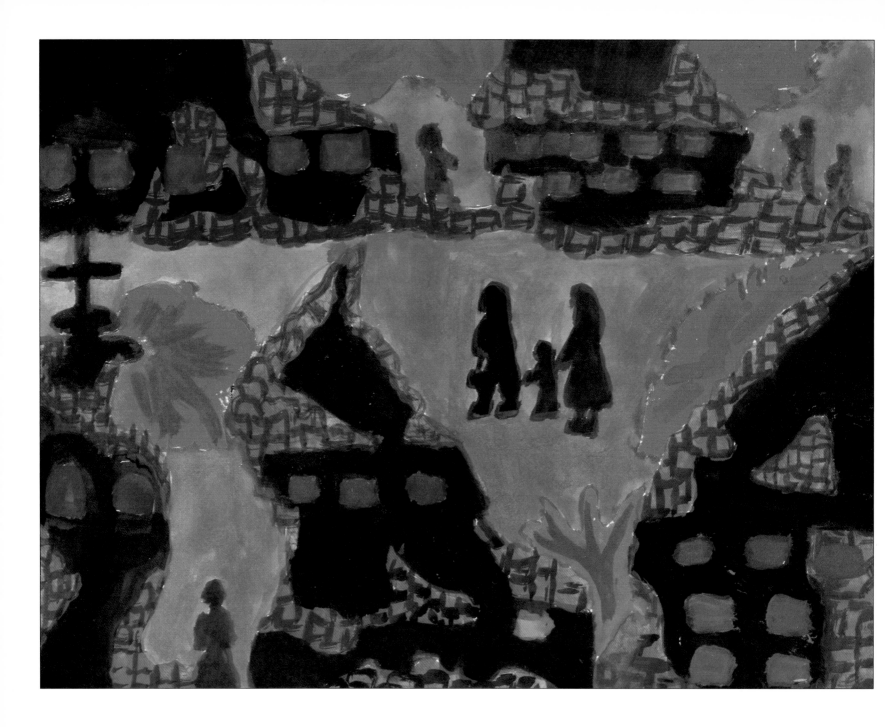

Dans mes rêves, je me promène
au milieu des ruines de la vieille ville,
cherchant un morceau de pain rassis.

Ma mère et moi respirons la fumée des fusils.
Je m'imagine que c'est l'odeur des tartes, des gâteaux
et de la viande.

Un coup éclate d'une colline tout près.
Nous nous dépêchons. Il n'est que neuf heures,
mais nous sommes peut-être en train de nous précipiter
vers une grenade signée « la nôtre ».

On entend une explosion dans la rue de la dignité.
Beaucoup de gens sont blessés –
des sœurs, des frères, des mères, des pères.

Je tends la main vers une main blessée, tremblante.
C'est la mort que je touche.

Terrorisée, je réalise que ce n'est pas un rêve.
Ce n'est qu'une nouvelle journée à Sarajevo.

Edina, 12 ans, de Sarajevo

Hodanje po ruševinama
Promenade dans les ruines
Robert, 13 ans
refugié de Kotor Varos

Mon cauchemar

Strah u meni
La peur en moi
Jovana, 6 ans
de Belgrade

Bez naslova
Sans titre
Anonyme

Je me souviens que je rentrais dans notre appartement au moment de l'alerte. Quand je suis entré dans le couloir, toutes les portes étaient fermées. Lentement, j'ai marché dans le noir et j'ai ouvert la porte de la chambre. Soudain les rayons du soleil m'ont enveloppé. Ma tristesse et ma peur se sont envolées. Mais en même temps, j'avais le sentiment que je n'avais pas droit à un tel bonheur.

Ivan, 13 ans, réfugié de Tuzla

Rođena sam da patim
Je suis née pour souffrir
Zana, 12 ans
réfugiée de Brcko

Duhovi i skeleti u
mome ormaru
Fantômes et squelettes
dans mon armoire
Adrijana, 12 ans
de Pozega

Quand je me promène dans la ville, je rencontre
des visages étranges, amers et douloureux. Où sont passés
nos rires ? Où est notre joie ? Quelque part loin, très loin
de nous. Pourquoi nous ont-ils fait cela ? Nous sommes
leurs enfants. Tout ce qu'on veut, c'est jouer et être avec
nos copains. On ne veut pas de cette horrible guerre.

Il y a tant de gens qui n'ont pas demandé cette guerre,
ni la terre noire qui les recouvre aujourd'hui.
Parmi eux, il y a beaucoup de mes amis.

Je vous envoie ce message : ne faites jamais de mal
aux enfants. Ils ne sont coupables de rien.

Sandra, 10 ans, de Vukovar

Očekivali smo
samo bonbone
Nous attendions
seulement des bonbons...
Belma, 10 ans
de Sarajevo

Belma IV₂

58

Les soldats nous ont ordonné de sortir de la maison.
Puis ils l'ont brûlée. Après ils nous ont conduits au train,
et là ils ont obligé tous les hommes à se coucher sur le sol.

Ils ont choisi dans le groupe ceux qu'ils allaient tuer.
Ils ont pris mon oncle et un voisin ! Ils les ont mitraillés
jusqu'à ce qu'ils soient morts. Puis les soldats ont mis
les femmes dans les wagons en tête de train
et les hommes à l'arrière. Quand le train s'est mis
en marche, ils ont détaché les wagons arrière et emmené
les hommes vers les camps. J'ai tout vu !

Maintenant, je ne dors plus. J'essaie d'oublier,
mais ça ne marche pas. J'ai tellement de mal depuis
à ressentir quoi que ce soit.

Alik, 13 ans, réfugié

Moj najveći strah
Ma peur la plus terrible
Marija, 12 ans
réfugiée de Bosanski Brod

Dlakavo čudovište
Monstre velu
Oliver, 12 ans
de Pozega

Lorsque je ferme les yeux, je rêve de la paix

Bez naslova
Sans titre
Predrag, 12 ans
de Belgrade

63

La guerre est là, mais nous attendons la paix.
Nous sommes dans un coin du monde que tout le monde
semble avoir oublié. Mais nous n'avons pas peur
et nous ne renonçons pas.

Nos pères gagnent peu, juste de quoi acheter cinq kilos
de farine par mois. Et nous n'avons ni eau, ni électricité,
ni chauffage. Nous supportons tout, sauf la haine
et le mal.

Notre maîtresse nous a parlé d'Anne Frank, et nous avons
lu son journal. Cinquante ans après, l'histoire se répète ici
avec cette guerre, avec la haine, avec les tueries et nous
aussi nous devons nous cacher pour sauver notre vie.

Nous avons seulement douze ans. Nous ne pouvons pas
influencer la politique ni la guerre, mais nous voulons
vivre ! Et nous voulons arrêter cette folie. Comme
Anne Frank, il y a cinquante ans, nous attendons la paix.
Elle n'a pas vécu assez longtemps pour la voir. Et nous ?

Élèves de 7ᵉ à Zenica

Rat i mir
Guerre et Paix
Natasa, 11 ans
de Pula

Poruka svijetu
Message au monde entier
Danijela, 11 ans
réfugiée de Derventa

Ma liste de cadeaux

Jeans : Levis 501
Baskets : Reeboks
Manteau : une veste de collège
Chaussures : des bottes de cowboy

Jozo, 12 ans,
de Vukovar

Moj san
Mon rêve
Nikola et Aleksandar
de Belgrade

Mir i ljubav
Amour et paix
Marta et Ana, 9 ans
de Belgrade

Si j'étais Président,
les tanks seraient des terrains de jeux pour enfants.
Des boîtes de bonbons tomberaient du ciel.
Les mortiers tireraient des ballons.
Et les fusils fleuriraient.

Tous les enfants du monde
dormiraient en paix
sans alertes et sans tirs.

Les réfugiés retourneraient dans leurs villages.
Et on commencerait une nouvelle vie.

Roberto, 10 ans, de Pula

Poruke
Messages
Maja, 12 ans
de Pozega

À tous les enfants du monde

Je veux que vous sachiez combien nous, les enfants de Sarajevo,
nous souffrons. Je suis encore jeune, mais j'ai l'impression d'avoir
connu des choses que beaucoup d'adultes ne connaîtront jamais.
Je ne veux pas vous ennuyer, mais je veux que vous sachiez
que je vivais dans un territoire tenu par les Serbes quand ma mère
et moi, nous avons été mises sur la liste et choisies pour être liquidées.
Ceux parmi vous qui vivent une vie normale ne peuvent pas
comprendre de telles choses, moi non plus jusqu'à ce que
je les subisse.

Pendant que vous mangez votre fruit, votre morceau de chocolat
et votre bonbon, nous ici nous arrachons l'herbe pour survivre.
La prochaine fois que vous mangerez quelque chose de bon,
je vous en prie, dites-vous, « C'est pour les enfants de Sarajevo ».

Pendant que vous êtes au cinéma ou écoutez de la belle musique,
nous nous sommes au sous-sol et nous entendons le terrible sifflement
des obus. Quand vous riez et vous amusez, nous pleurons et espérons
que cette horreur passera vite. Quand vous profitez des avantages
de l'électricité et de l'eau courante, et quand vous prenez un bain,
nous prions Dieu qu'il pleuve afin d'avoir de l'eau à boire.

Aucun film ne peut décrire correctement la douleur, la peur et
la terreur que mon peuple endure. Sarajevo est noyé dans un bain
de sang et des tombes surgissent partout. Je vous en supplie,
au nom des enfants de Bosnie, ne permettez jamais
que cela vous arrive, à vous ou à d'autres, n'importe où ailleurs.

Edina, 12 ans, de Sarajevo

Remerciements

L'UNICEF adresse ses remerciements les plus chaleureux aux enfants, psychologues, enseignants et parents qui l'ont aidée dans toutes les régions de l'ex-Yougoslavie, et qui ont permis la réalisation de ce livre.

Nous tenons à remercier Mme Edith Simmons qui a conçu le livre lorsqu'elle était responsable de l'information au bureau de L'UNICEF chargé de l'ex-Yougoslavie (Zagreb) ; Rune Stuvland, conseiller psychosocial à l'UNICEF Zagreb, pour ses précieux conseils ; et Thomas McDermott, représentant spécial de l'UNICEF pour l'ex-Yougoslavie, ainsi que ses collègues à Belgrade, Sarajevo et Zagreb.

Ce projet n'aurait pu voir le jour sans le concours de nos confrères à la division de l'information de l'UNICEF à New York : Ellen Tolmie, responsable de la photographie, dont l'engagement et le travail acharné ont permis de mener le projet à son terme ; Shalini Dewan, responsable des publications, qui a supervisé le travail éditorial dans son ensemble ; et Mehr Khan, directeur, qui nous a guidés et conseillés tout au long de cette réalisation.

Nos remerciements tout particuliers à Stephanie Allen-Early, Sonja Bicanic, Joost Bloemsma, Tia Bruer, Clayton Carlson, Robert Cohen, Karen Dautresme, Brigitte Duchesne, Richard Gorman, Amy Janello, Brennon Jones, James Mohan, Branka Palescak, Fran Scott, Carl Taylor, Thomas Walker et Sherri Whitmarsh.

Nous remercions également Linda Michaels et ses assistants Ann-Christine Danielsson et Hiroko Kuroda qui ont assuré la coordination internationale du projet.

La première édition de *I dream of peace* a été publiée simultanément par Atlántida, Argentine ; Bertelsmann, Allemagne ; les Éditions du Chêne, France ; Ediciones Folio, Espagne ; Gyldendal Norsk Forlag, Norvège ; HarperCollins Publishers, États-Unis, Canada, Royaume-Uni, Australie, Nouvelle-Zélande ; Holp Shuppan, Japon ; Rabén och Sjögren, Suède ; Forlaget Sesam, Danemark ; Uitgeverij Het Spectrum, Pays-Bas ; et Standaard Uitgeverij, Belgique.

Crédits photographiques : page 4 – Senad Gubelic ; page 6 – Senad Gubelic ; page 75 – Darko Gorenak ; page 76 – (h g) Senad Gubelic ; (h d) UNICEF/5134/John Isaac ; (b d) Marc de Haan ; (b g) Senad Gubelic ; page 77 – (h g) Marc de Haan ; (h d) Marc de Haan ; (b d) Marc de Haan ; (b g) UNICEF/5131/John Isaac ; page 78 – Marc de Haan ; page 80 – UNICEF/5132/John Isaac.

I DREAM OF PEACE copyright © 1994 **UNICEF**

Tous droits de traduction, de reproduction et d'adaptation réservés pour tous supports et tous pays.

Publié en 1994 en collaboration avec le comité français pour l'**UNICEF**,
par les Éditions du Chêne, 79 bd Saint-Germain, 75288 Paris, cedex 06.

Cette édition de *I dream of peace* est adaptée de la version anglaise.
L'éditeur est responsable de la seule traduction.

Produit par Jones & Janello, New York
Maquette : **GRAFIX**, New York
Photogravure : RCA Zwolle, Pays-Bas
Impression : Aubin Imprimeur, Poitiers, France

Dépôt légal : 9007 - mars 1994
ISBN : 2.85108.824.6
34/0986/9